# 目 录

## Contents

# 华 语 入 门

## 汉语拼音

　　华语的声调常常是母语非华语的儿童难以掌握的发音难点。因此，汉语教学当从单韵母配以四声入手；巩固声调后，循序加入声母、韵母，带领学生拼读，做系统性的教学。

| ā | á | ǎ | à | | ī | í | ǐ | ì |
| ō | ó | ǒ | ò | | ū | ú | ǔ | ù |
| ē | é | ě | è | | ü | ǘ | ǚ | ǜ |

　　一个汉字的读音叫做一个**音节**（syllable）。一个音节分成**声母**（initial）、**韵母**（final）和**声调**（tone）。　每个字起头的音叫**声母**，其余的叫**韵母**。字音的高低升降叫**声调**，声调有一声，二声、三声、四声和**轻声**。　声母有 21 个，韵母有 24 个。

　　使用　**声母＋韵母＋声调**　就可以拼读出每个汉字的读音。另外还有 16 个整体音节，不采取拼读的方法，直接呼出即可。

　　汉语拼音在教学上除了教习每课生字中所出现的声韵母及拼读外，教师可在教室中挂出完整的声母表和韵母表，做整体性的认读和背诵（每次上课的前 5 分钟做全班或分组诵读）。

声母表 　（21 个）

| b | p | m | f | d | t | n | l |
| g | k | h | j | q | x | | |
| zh | ch | sh | r | z | c | s | |

韵母表 （24个）

| a | o | e | i | u | ü |
|---|---|---|---|---|---|
| ai | ei | ui | ao | ou | iu |
| ie | üe | er | an | en | in |
| un | ün | ang | eng | ing | ong |

整体音节表 （16个）

| zhi | chi | shi | ri | | |
|---|---|---|---|---|---|
| zi | ci | si | | | |
| yi | wu | yu | | | |
| ye | yue | yuan | yin | yun | ying |

声调示意图（Tones Chart）：

| ー | 1st Tone Flat | Y | ⟶ |
|---|---|---|---|
| ╱ | 2nd Tone Up | See | ↗ |
| ✓ | 3rd Tone Down & Up again | Well | ↘↗ |
| ╲ | 4th Tone Down | Go | ↘ |

## 笔顺笔画

1）基本笔画名称：

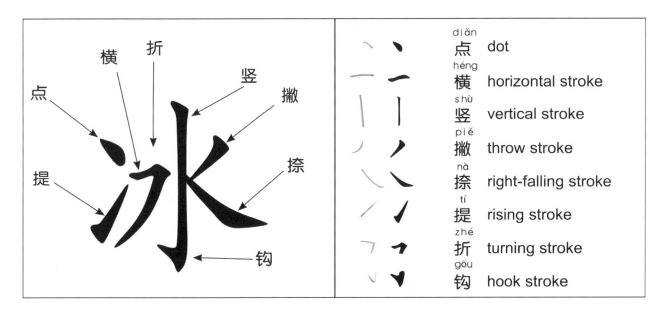

图 1-1

2）笔顺规则：

| 规 则 | 字 例 | |
|---|---|---|
| 先横后竖 | 十 | 下 |
| 先撇后捺 | 人 | 天 |
| 先上后下 | 三 | 早 |
| 先左后右 | 你 | 到 |
| 先外后内 | 月 | 肉 |
| 先内后外 | 山 | 乐 |
| 先中间后两边 | 小 | 水 |
| 先里头后封口 | 日 | 回 |

3) 汉字结构：

    □ 独体字：大、十        ⊟ 合体字（上下）：名、字

    ◫ 合体字（左右）：你、好    ⫼ 合体字（左中右）：哪、谢

## 建议活动：

1. 教师可将前页〈图 1-1〉放大，右面图分成 8 大张，贴在墙上，逐一讲解、带念各笔画名称，然后请学生举起手来，以手掌在空中比划出各个笔画。借助不断提问让学生熟悉，如喊口令般，一一叫出笔画名称，让学生比出来，教师亦可比出手势让学生猜出笔画名称等。

2. 教师可将当课习写字的字卡拿出来，让学生试猜每一笔画的正确名称，如：教师拿出"人"字，请学生依照墙上所贴的笔画名称表，说出各笔画名称并试将"人"的笔顺比划出来。

3. 为增加学习趣味，可请学生起立，摆出"功夫"架势，微屈双腿，两拳紧握，齐喊"功夫预备"，然后依教师所说的字，逐一喊出各笔画名称，并用右手配合，像功夫般，比划出该字的笔顺。

4. 复习前课所教的生字时，可请学生两人一组，各以手指在对方的背上"画"出"字"来，让对方猜。

# 第 一 册 生 字 词 一 览 表

| 课 | 课 题 | 部首习写 (23) | 习 写 字 (71) | 认 读 字 (93) |
|---|---|---|---|---|
| 1 | 你好 | 人 目 | 你好见 | 再同学们老师吗我很谢 |
| 2 | 你叫什么名字？ | 女 戈 | 我她他名字 | 叫什么王小文李大中白卫玛丽 |
| 3 | 你几岁？ | | 一二三四五六七八九十 | 几岁呢 |
| 4 | 你是哪国人？ | 大 小 | 是不人大中小 | 国澳洲英美加拿法日本哪 |
| 5 | 我上大华小学 | 廿 宀 | 上个也华 | 校年级 |
| 6 | 我爱我的家 | 口 言 | 谁的有爸妈和家 | 哥弟姐妹两爱这 |
| 7 | 你住在哪里？ | 衣 老 土 | 在哪里住老师 | 街路楼号长公园 |
| 8 | 今天是几月几日？ | 日 月 | 日月生今年 | 天祝快乐 |
| 9 | 今天是星期几？ | 马 金 | 明昨天星期吗 | 零 |
| 10 | 书包里有什么？ | 木 辵（辶） | 这那书包白本 | 子铅笔橡皮教室桌椅板 |
| 11 | 我喜欢吃水果 | 氵 火 | 吃水果很多喜欢 | 西瓜葡萄橘苹梨香蕉草莓 |
| 12 | 你想吃什么？ | 心 食 | 想什么饿喝了 | 汉堡薯条可治汁冰淇淋饭饺渴 |

# 第一课 你好

## 本课习写及认读字：

| 课 | 课 题 | 部首习写 (2) | 习写字 (3) | 认读字 (10) |
|---|---|---|---|---|
| 1 | 你好 | 人 目 | 你好见 | 再同学们老师吗我很谢 |

## 教学重点及目标：

◆ 课堂上基本用语、打招呼、见面及分手用语
◆ 陈述句改疑问句，主语及谓语位置不变，如："你好。""你好吗？"的用法
◆ 动词无时态、单复数之分
◆ 单数改复数，如："你" ⇨ "你们"、"我" ⇨ "我们"、"老师" ⇨ "老师们"

## 文化部分：

◆ 中国人见面用语多用"你好！"而非"你好吗？"
◆ 学生见到老师先问好

## 建议活动：

◆ 熟悉句型 ／ 用语：
1. 上课时使用"同学们好！"；下课时使用"同学们再见！"
2. 点名时，重复使用句型"Mike（学生名字），你好吗？"，让学生一一回答"我很好，谢谢老师。"
3. 课堂上借助手势不断使用"你"、"我"、"（自己的姓）老师"、"Smith（学生的姓）同学"、"好"、"谢谢你"等词语。
4. 教师用不同手势，让学生依照手势说话，熟悉句型。如：
   a. 举起双手，十指交握是"谢谢"。
   b. 举起右手，掌面朝学生行礼是"你好"。
   c. 拍手是"很好"。
   d. 挥手是"再见"。
   （也可以让全班起立，分几组竞赛，由教师快速说出字词，学生响应正确手势，该组中如有人做错，即输了比赛，全组坐下）

5. 使用教具"万用多格表"示范句型后擦掉字，请学生写。

| 你 | | | | |
|---|---|---|---|---|
| 你 | 好 | | | |
| 你 | 们 | 好 | | |
| 你 | 们 | 很 | 好 | |

| 见 | | | | |
|---|---|---|---|---|
| 再 | 见 | | | |
| 老 | 师 | 再 | 见 | |
| 同 | 学 | 们 | 再 | 见 |

| 吗 | | | | |
|---|---|---|---|---|
| 好 | 吗 | | | |
| 你 | 好 | 吗 | | |
| 你 | 们 | 好 | 吗 | |
| 同 | 学 | 们 | 好 | 吗 |

| 好 | | | | | |
|---|---|---|---|---|---|
| 你 | 好 | | | | |
| 你 | 们 | 好 | | | |
| 同 | 学 | 们 | 好 | | |
| 谢 | 谢 | 我 | 们 | 很 | 好 |

♦ 字卡游戏：

1. 听音找字：

   〈规则〉老师念生字（如：学）或词语（如：老师）或出题（如：How do you say good-bye? When you first meet someone, you will say …），学生找出正确的字卡来排在桌面。

2. 翻卡认读：

   〈规则〉教师将字卡散放桌面，学生轮流翻卡认读，读对的赢得该卡，读错的放回（可放回卡堆中搅乱，以免被别人识出该卡）。得到卡片最多的人获胜。

3. 排字卡：

   〈规则〉老师念句子，学生找出字卡排出来。如：

   你好吗？

   老师好吗？

   好老师。

   我们很好。

   老师很好。

   好同学。

   老同学。

   你们好。

# 第二课　你叫什么名字？

## 习写及认读字总览：

| 课 | 课 题 | 部首习写 (4) | 习写字 (8) | 认读字 (23) |
|---|---|---|---|---|
| 1 | 你好 | 人 目 | 你好见 | 再同学们老师吗我很谢 |
| 2 | 你叫什么名字？ | 女 戈 | 我她他名字 | 叫什么王小文李大中白卫玛丽 |

## 教学重点及目标：

- ◆　掌握询问/回答姓名的相关用语
- ◆　熟悉"什么"的用法
- ◆　说明"他"、"她"用法，性别变化不改动词形态，如："我叫…"，"他叫…"
- ◆　说明"叫"（be called 及 scream, shout）的用法
- ◆　延伸教学：说明"大""中""小"的含义

## 文化部分：

- ◆　中国人的姓名是先"姓"后"名"，称呼对方时用姓加称谓，表示敬意，如：王老师。

## 建议活动：

请参照附录 33 页"教具使用说明"中有关宾果及字卡游戏的说明。

- ◆　文字填充：
  〈规则〉教师只写出字的一部分，由学生补上缺的部分，如：尔，学生加上"人"。

- ◆　投球作答：
  〈规则〉教师将球投给学生，并示范句型"我叫＿＿＿＿，你叫什么名字？"接到球的学生需重复同样句型，继续传球。

- ◆　碰球游戏：
  〈游戏目的〉可借助此游戏，让学生熟悉句型，并了解"叫"的不同含意。
  〈规则及步骤〉
  a. 请每位学生大声说出自己的名字，教师带领学生重复念一次。

b. 教师示范如何拍掌念词：

随动作节拍念出"你（两手拍腿）- 叫（两手互拍）- 什（右手大拇指与中指互搓）- 么（换左手大拇指与中指互搓）？"

c. 大家重复前述动作，教师按节拍说出："我-叫-老-师"，然后再说"我-叫-大-中（念出学生的名字，不要含姓）"，被指名的学生需按全班拍掌的节拍，说出"我-叫-大-中"，然后再说"我-叫 _____（叫出另一同学的名字）"。不合节拍或忘了回答或忘了名字的学生，淘汰出局。

# 第三课　你几岁？

## 习写及认读字总览：

| 课 | 课 题 | 部首习写（4） | 习写字（18） | 认读字（26） |
|---|---|---|---|---|
| 1 | 你好 | 人 目 | 你好见 | 再同学们老师吗我很谢 |
| 2 | 你叫什么名字？ | 女 戈 | 我她他名字 | 叫什么王小文李大中白卫玛丽 |
| 3 | 你几岁？ |  | 一二三四五六七八九十 | 几岁呢 |

## 教学重点及目标：

- ◆　正确认读并书写一至十
- ◆　"几"的用法：数量少于"十"时用"几"
- ◆　"十"的用法："十一：十加一""三十：三个十"
- ◆　熟悉"呢"的用法

## 文化部分：

- ◆　问小孩可以用"你几岁？"，问大人则用"请问您多大？"
- ◆　中国使用"幺"、"拐"及"洞"代替"一"、"七"及"零"，尤以电话号码使用"幺"最常见。

## 建议活动：

〈注〉请参照"教具使用说明"中有关宾果及字卡游戏，并可使用挂图 MFCR-4。
- ◆　课文数来宝（复习前三课课文）：
  〈规则〉按节拍，可任选下列几种方式重复动作：
  1. 先两手拍腿，再两手互拍。
  2. 先两手拍腿，再两手拍左边同学大腿，再拍自己大腿，然后两手拍右边同学大腿。
  3. 先两手拍腿，再两手交叉拍自己肩头，再拍自己大腿。
  〈数来宝〉
  a. 一二三，三二一，一二三四五六七，七六五四三二一。（齐诵）
  　　你好，我好，大家好。（齐诵）

b. 一二三，三二一，一二三四五六七，七六五四三二一。（齐诵）
   老师好，同学好，老师同学大家好。（齐诵）

c. 一二三，三二一，一二三四五六七，七六五四三二一。（齐诵）
   你的名字叫什么？（任指一学生作答）
   我的名字叫 ____。

d. 一二三，三二一，一二三四五六七，七六五四三二一。（齐诵）
   大卫，大卫，你好吗？（问大卫，大卫作答）
   很好，很好，谢谢你。

e. 一二三，三二一，一二三四五六七，七六五四三二一。（齐诵）
   小文，小文，你几岁？（问小文，小文作答）
   九岁，九岁，我九岁。

◆ 数字手势
   〈规则〉介绍如何用手指来代表数字，然后教师喊数字，大家举起手做出正确的手势。教师可加快速度，且跳念不同数字，如："九一一"、"三十八"等。

◆ 点名
   〈规则〉点名时，重复使用"你好吗？你叫什么名字？你几岁？"句型，让学生一一回答。

◆ 报数
   〈规则〉教师请学生练习报数，每排可任意指定开始数字，如第一排是从 8 开始，第二排自 16 开始，或报奇数（如：一三五）/ 偶数（如：二四六）等。

   a. 为增加紧张效果，报数时，亦可用拍手来取代特定的数字，如报 5、10、15…的同学，不可说该数，而用拍手取代。

   b. 带一玻璃罐的糖或一袋 M&M 巧克力糖，要同学猜总数或不同颜色的各多少，然后全班一起大声数，答对的同学有糖果吃。

◆ 猜手指游戏
   〈规则〉学生两人一组，双手放背后，各叫出"十"以内的数字，同时伸出右手，谁喊的数字正好是两人伸出右手手指数的总和就得胜，可轻轻打对方手背。

◆ 谜语
   1. 十加十是十。    （猜一用品）    答案：手套
   2. 一加一是什么？（猜一字）    答案：王
   3. 三加一是什么？（猜一字）    答案：王

# 第四课　你是哪国人？

## 习写及认读字总览：

| 课 | 课 题 | 部首习写（6） | 习写字（24） | 认读字（37） |
|---|---|---|---|---|
| 1 | 你好 | 人 目 | 你好见 | 再同学们老师吗我很谢 |
| 2 | 你叫什么名字？ | 女 戈 | 我她他名字 | 叫什么王小文李大中白卫玛丽 |
| 3 | 你几岁？ | | 一二三四五六七八九十 | 几岁呢 |
| 4 | 你是哪国人？ | 大 小 | 是不人大中小 | 国澳洲英美加拿法日本哪 |

## 教学重点及目标：

- ◆ "哪"的用法：使用于问句，说明"哪"跟"那"发音及意思的不同
- ◆ "不"的用法：否定句"不是"及问句"是不是"的用法
- ◆ 复习问句的几种类型："什么""几""呢""哪""吗"的不同用法
- ◆ 说明"法国"的读音有所不同，中国大陆地区读"fǎ guó，但其它一些华人社区习惯读"fà guó"

## 文化部分：

- ◆ 说明"国"的用法，不是每个国家都加上"国"，如：日本、加拿大（亦可称加国）等。

## 建议活动：

〈注〉请参照"教具使用说明"中有关宾果及字卡游戏，并可使用挂图 MFCR-6。
- ◆ 课文数来宝（请复习前课课文，并参考前课介绍的动作）
  一二三，三二一，一二三四五六七，七六五四三二一。（齐诵）
  请问你是哪国人？（任指一学生作答）
  ____（国名），____（国名），我是 ____ 人。

- ◆ 点名
  〈规则〉重复使用"你好吗？你叫什么名字？你几岁？你是哪国人？"句型，让学生一一
  回答。

◆ 问国籍

〈规则〉学生分小组，各取不同国家名字做组名，教师定好游戏规则，如：

**中国：四个人　　美国：三个人　　法国：两个人　　日本：一个人**

学生一起问："哪国人？"当教师回答："美国人！"时，所有学生需三个三个站在一起，落单的淘汰。

◆ 字卡游戏・叫国籍

〈规则〉学生分小组玩，每组不超过六人，每人各取国名，当两人翻出的字卡相同时，需说出字卡上的字，并叫出对方的国名。

◆ 字卡游戏・找朋友

〈准备〉教唱《我的朋友在哪里？》。可使用 Sing With Better Chinese Vol.1《我们来唱歌 Vol.1》Audio CD 来教唱。

〈歌词〉一二三四五六七，我的朋友在哪里？在这里，在这里，我的朋友在这里。

〈规则〉待学生熟悉曲调后，发给学生每人一张国名卡（中国、美国、英国、加拿大、日本、德国等）。因所学的国名不多，因此可以几个学生都拿同一个国名。将歌词 "我的朋友"改为"请问___国"或其它国名。持有该国名卡的学生需举卡响应："在这里，在这里，我是____国在这里。"忘记举牌的学生淘汰出局。

# 第五课　　我上大华小学

## 习写及认读字总览：

| 课 | 课　题 | 部首习写（8） | 习写字（28） | 认读字（40） |
|---|---|---|---|---|
| 1 | 你好 | 人　目 | 你好见 | 再同学们老师吗我很谢 |
| 2 | 你叫什么名字？ | 女　戈 | 我她他名字 | 叫什么王小文李大中白卫玛丽 |
| 3 | 你几岁？ | | 一二三四五六七八九十 | 几岁呢 |
| 4 | 你是哪国人？ | 大　小 | 是不人大中小 | 国澳洲英美加拿法日本哪 |
| 5 | 我上大华小学 | 廿　宀 | 上个也华 | 校年级 |

## 教学重点及目标：

♦　熟悉"上"的用法"上学"、"上几年级"
♦　熟悉"也"的用法
♦　复习问句的几种类型："什么""几""呢""哪""吗"的不同用法

## 文化部分：

♦　说明"小学"是 elementary school 不是小的学校，"中学"是 middle school，含 junior
和 senior high，而"大学"是 university。

## 建议活动：

〈注〉请参照"教具使用说明"中有关宾果及字卡游戏。
♦　点名
〈规则〉点名时，重复使用"你好吗？你叫什么名字？你几岁？你是哪国人？你几年级？"
句型，让学生一一回答。

♦　课文数来宝
〈游戏目的〉复习前课课文，请参考前课介绍的动作。
〈数来宝〉
一二三，三二一，一二三四五六七，七六五四三二一。（齐诵）
请问你上几年级？（任指一学生作答）

____岁，____岁，我上____年级。

◆　统计表

〈规则〉每个学生用下列句型自我介绍："我叫____，我____岁，我上____年级，我是____国人。"其他学生需做笔记。待全部学生介绍完毕后，教师可以提问："____岁的有几个？""____年级的有几个？"此活动可训练听、说能力，并培养学生注意力。

◆　"也…""也不…"比赛

〈规则〉学生面对面分两组站立，猜拳决定哪组先。第一组的第一人需说："我是美国人！"再用手指第二组的任一人，并以大拇指朝上代表"肯定句"或大拇指朝下代表"否定句"，第二组被指定的人看见拇指朝下时，需答出："我不是美国人。"而拇指朝上时，需回答："我也是美国人。"答对，就换第二组这人说并指定对方接，如答错，则退出坐回原位，由原组继续说。淘汰出局最多的那组输。

# 第六课　我爱我的家

## 习写及认读字总览：

| 课 | 课　题 | 部首习写 (10) | 习　写　字 (35) | 认　读　字 (47) |
|---|---|---|---|---|
| 1 | 你好 | 人　目 | 你好见 | 再同学们老师吗我很谢 |
| 2 | 你叫什么名字？ | 女　戈 | 我她他名字 | 叫什么王小文李大中白卫玛丽 |
| 3 | 你几岁？ | | 一二三四五六七八九十 | 几岁呢 |
| 4 | 你是哪国人？ | 大　小 | 是不人大中小 | 国澳洲英美加拿法日本哪 |
| 5 | 我上大华小学 | 艹　宀 | 上个也华 | 校年级 |
| 6 | 我爱我的家 | 口　言 | 谁的有爸妈和家 | 哥弟姐妹两爱这 |

## 教学重点及目标：

- ◆　熟悉"我的"所有格的用法
- ◆　说明所有格"的"，在语意清楚时，可省略"的"，如："我的家"可说成"我家"

## 文化部分：

- ◆　说明"哥、弟、姐、妹"的专有名词，有别于英文的 big and little 的用法。

## 建议活动：

〈注〉请参照"教具使用说明"中有关宾果及字卡游戏，并可使用挂图 MFCR-7。
- ◆　课文数来宝
  〈游戏目的〉复习前课课文，请参考前课介绍的动作。
  〈数来宝〉
  一二三，三二一，一二三四五六七，七六五四三二一。（齐诵）
  请问你家几个人？（任指一学生作答）
  爸爸、妈妈、（哥哥、姐姐、弟弟、妹妹），还-有-我。（学生按实际情况作答）

- ◆　教唱"我的朋友在哪里？"
  〈规则〉发给学生每人一张亲人卡（爸爸、妈妈、哥哥、姐姐、弟弟、妹妹等），有的有重复。待学生熟悉"我的朋友在哪里？"后，将歌词"朋友"改为"爸爸"或其他亲人。持有"爸爸"卡的学生需举卡响应:"我的爸爸在这里!"

♦ 童谣带动唱:"我爱我的家"
&lt;歌词&gt;:我爱我的家,我真的—真的—真的—真的—真的很爱我的家。
&lt;规则&gt;"我爱"是以手轻拍胸口,"我的家"用双手高举头顶,做出屋顶样;"真的"轮流翘起左右手大拇指;"很爱"双手交叉搂双肩。
可将"我的家"改为"我哥哥"、"我老师"、"我弟弟"等,动作改为:
我爱我爸爸(食指横在上嘴唇,当胡子)
我爱我妈妈(两手分别拉耳朵,当耳环)
我爱我哥哥,我爱我弟弟(左手抬高代表哥哥,放低代表弟弟)
我爱我姐姐,我爱我妹妹(右手抬高代表姐姐,放低代表妹妹)
我也爱自己(双手交叉胸前搂着自己摇晃两下)
待全班都熟悉后,可请学生分别站起来表演,当讲到兄弟姐妹时,不要出声,而以手势代替,让全班猜他有几个家人。

♦ 查户口
&lt;规则&gt;全班分几个"家庭"(户),教师先带头当"警察",问其中一户的户长:"你家有几个人?"户长回答:"三个人,我是爸爸!",户长后面的"家人"需马上抢答:"我是妈妈!"或"我是姐姐!"没有回答的人要马上跑到别户,跑得慢被抓到的人要出来当"警察"继续查户口。每户可以很多人,只要能答得出家人称谓就可以继续留下来,如:爷爷、奶奶、大姐、二姐、三姐等。

♦ 统计表
&lt;规则&gt;每个学生需用下列句型自我介绍:"我的名字是____,我____岁,我家有爸爸、妈妈、哥哥和我。"其他学生需做笔记。待全部学生介绍完毕后,教师可以提问:"谁有哥哥?""谁家有五个人?"此活动可训练听说能力,并培养学生注意力。

♦ 介绍家人
&lt;规则&gt;请学生带"全家福"照片来课堂(为增加趣味,可以是几年前的照片,如学生婴儿时的全家福),将所有照片收集起来分给学生各一张,拿到照片的学生需辨认出是哪个同学的照片,然后站起来,指着照片中人物,一一介绍:"这是 ____(姓)家,这是 ____(学生名字)的爸爸,这是 ____的妈妈,这是 ____的哥哥(或姐、妹、弟),这是 ____。"

# 第七课　你住在哪里

## 习写及认读字总览：

| 课 | 课 题 | 部首习写 (13) | | 习 写 字 (41) | 认 读 字 (54) |
|---|---|---|---|---|---|
| 1 | 你好 | 人 | 目 | 你好见 | 再同学们老师吗我很谢 |
| 2 | 你叫什么名字？ | 女 | 戈 | 我她他名字 | 叫什么王小文李大中白卫玛丽 |
| 3 | 你几岁？ | | | 一二三四五六七八九十 | 几岁呢 |
| 4 | 你是哪国人？ | 大 | 小 | 是不人大中小 | 国澳洲英美加拿法日本哪 |
| 5 | 我上大华小学 | 艹 | 宀 | 上个也华 | 校年级 |
| 6 | 我爱我的家 | 口 | 言 | 谁的有爸妈和家 | 哥弟姐妹两爱这 |
| 7 | 你住在哪里？ | 衣 老 | 土 | 在哪里住老师 | 街路楼号长公园 |

## 教学重点及目标：

◆　"在"的用法：举例说明：你在哪里？学校在哪里？妈妈在不在？他不住在家里。
◆　"两"的用法：举例说明：数数时是一二，共多少时是用"两"
◆　"楼"的用法：floor, building 举例说明：大楼、楼上、二楼

## 文化部分：

◆　用中文表述地址要由大而小，按顺序出现，如：国、省/州、城市、街/路、号、楼。例：美国加州洛杉矶 14 街 34 号五楼。

## 建议活动：

〈注〉请参照"教具使用说明"中有关宾果及字卡游戏，并可使用挂图 MFCR-20。
◆　课文数来宝
〈游戏目的〉复习前课课文，请参考前课介绍的动作。
〈数来宝〉
一二三，三二一，一二三四五六七，七六五四三二一。（齐诵）
请问你家在哪里？（任指一学生作答）
_____ 国，_____ 国，我家在 _____ 国。

♦　投球：

　　〈规则〉投出球时需用句型"请问你住哪里？"接球人需回答"我住 ＿＿（国家名），谢谢。"再续投他人。

♦　**10 Little Indians**

　　〈规则〉使用 **10 Little Indians** 的曲调，教唱并请学生回答：

　　一楼、二楼、三楼、四楼、五楼、六楼、七楼、八楼、九楼、十楼，这么多楼，你住哪一楼？

　　〈动作〉

　　1.　两手手心朝下横在胸前，每说一层楼，两手就交替层层往上攀高。

　　2."这么多楼"以两手举高由上往下画一大圆，"你住哪一楼"时，两手手心向上，由胸前慢慢向前平举划开。

♦　宾果游戏：

　　〈规则〉教师将下表中＿＿部分填入适当字词后，影印给学生，让学生熟悉发问及回答句型，尤其主语"你""我"的互换，如："请问你有弟弟吗？""请问你住二楼吗？""请问你九岁吗？""请问你家有六个人吗？"等，由学生向所有同学提问，符合空格内条件者，请他在括号内签名，收集到或横或竖或对角线所有签名的人可以喊"宾果"而得胜。教师可请得胜者念出答案，如："＿＿（学生名字）他（她）有弟弟"、"＿＿他（她）有家人在美国"等。

　　注：此宾果游戏，非常适合学生熟悉人称及问答句型。教师也可将第 20 页空白表格中按照每课课文内容，自填适合的字词，影印后发给学生做游戏。

| | | | |
|---|---|---|---|
| 我有弟弟<br>（　　　　） | 我上中文学校<br>（　　　　） | 我有妹妹<br>（　　　　） | 我住二楼<br>（　　　　） |
| 我 ___ 岁<br>（　　　　） | 我有家人在 ___ 国<br>（　　　　） | 我是中国人<br>（　　　　） | 我家有六个人<br>（　　　　） |
| 我有哥哥<br>（　　　　） | 我有家人在中国<br>（　　　　） | 我 ___ 年级<br>（　　　　） | 我有姐姐<br>（　　　　） |
| 我上小学<br>（　　　　） | 我爱妈妈<br>（　　　　） | 我有中文名字<br>（　　　　） | 我姐姐上中学<br>（　　　　） |

✂-------------------------------------------------------------------------------

| | | | |
|---|---|---|---|
| 我有弟弟<br>（　　　　） | 我上中文学校<br>（　　　　） | 我有妹妹<br>（　　　　） | 我住二楼<br>（　　　　） |
| 我 ___ 岁<br>（　　　　） | 我有家人在 ___ 国<br>（　　　　） | 我是中国人<br>（　　　　） | 我家有六个人<br>（　　　　） |
| 我有哥哥<br>（　　　　） | 我有家人在中国<br>（　　　　） | 我 ___ 年级<br>（　　　　） | 我有姐姐<br>（　　　　） |
| 我上小学<br>（　　　　） | 我爱妈妈<br>（　　　　） | 我有中文名字<br>（　　　　） | 我姐姐上中学<br>（　　　　） |

| ( ) | ( ) | ( ) | ( ) |
|---|---|---|---|
| ( ) | ( ) | ( ) | ( ) |
| ( ) | ( ) | ( ) | ( ) |
| ( ) | ( ) | ( ) | ( ) |

✂--------------------------------------------------------------------

| ( ) | ( ) | ( ) | ( ) |
|---|---|---|---|
| ( ) | ( ) | ( ) | ( ) |
| ( ) | ( ) | ( ) | ( ) |
| ( ) | ( ) | ( ) | ( ) |

# 第八课　今天是几月几日?

## 习写及认读字总览:

| 课 | 课 题 | 部首习写 (15) | 习 写 字 (46) | 认 读 字 (58) |
|---|---|---|---|---|
| 1 | 你好 | 人　目 | 你好见 | 再同学们老师吗我很谢 |
| 2 | 你叫什么名字? | 女　戈 | 我她他名字 | 叫什么王小文李大中白卫玛丽 |
| 3 | 你几岁? | | 一二三四五六七八九十 | 几岁呢 |
| 4 | 你是哪国人? | 大　小 | 是不人大中小 | 国澳洲英美加拿法日本哪 |
| 5 | 我上大华小学 | 艹　宀 | 上个也华 | 校年级 |
| 6 | 我爱我的家 | 口　言 | 谁的有爸妈和家 | 哥弟姐妹两爱这 |
| 7 | 你住在哪里? | 衣　老　土 | 在哪里住老师 | 街路楼号长公园 |
| 8 | 今天是几月几日? | 日　月 | 日月生今年 | 天祝快乐 |

## 教学重点及目标:

◆ "日"跟"号"的用法:两者相通,口语时多用"号",如:三月五日(号)
◆ "是"的用法:在表示时间用语中,"是"可省略,如:今天(是)三月五号

## 文化部分:

◆ 中文表述时间,通常按"年—月—日"的顺序,如:二零零九年六月八日
◆ 零可写成"0"
◆ 可以向学生介绍中国的十二生肖

## 建议活动:

〈注〉请参照"教具使用说明"中有关宾果及字卡游戏。
◆ 课文数来宝
〈游戏目的〉复习前课课文,请参考前课介绍的动作:
〈数来宝〉
一二三,三二一,一二三四五六七,七六五四三二一。(齐诵)
一(拖长音)个月有三十天,有(拖长音)的三十有的多。

一（拖长音）年共有十二月，过（拖长音)了一年长一岁。

◆　祝贺生日

〈规则〉请学生说出自己的生日，如"我是____，我的生日是____月____日。"其他人需做笔记，待全班说完后，教师可提问："某月的有几个同学？"或大声说："某月到了！"，该月生日的同学要站起来，全班同学需对他们大声说："生日快乐！"该月生日的同学需响应："谢谢！"然后坐下。

◆　问生肖

〈准备〉向学生介绍中国的十二生肖，让每个学生知道自己的生肖。

〈规则〉请学生用句型介绍自己出生的年份，如"我是____，我是____年生的，我是大（一到六月）____（12 生肖动物名称）或小（七到十二月）____（12 生肖动物名称）。"其他人需做笔记，待全班说完后，教师可提问："某年生的有几个同学？有几条大龙？有几条小龙？"

◆　问生日

〈规则〉请全班站出来，让大家互问生日，如"你的生日是几月几号？"然后依照出生日期前后排成一列，从第一个人开始按序轮流介绍自己："我是____，我今年____岁，我生日是____月____日。"然后转头问下一个同学："你叫什么名字？几岁？你的生日是几月几号？"

# 第九课　今天是星期几？

## 习写及认读字总览：

| 课 | 课　题 | 部首习写 (17) | 习 写 字 (52) | 认 读 字 (59) |
|---|---|---|---|---|
| 1 | 你好 | 人　目 | 你好见 | 再同学们老师吗我很谢 |
| 2 | 你叫什么名字？ | 女　戈 | 我她他名字 | 叫什么王小文李大中白卫玛丽 |
| 3 | 你几岁？ | | 一二三四五六七八九十 | 几岁呢 |
| 4 | 你是哪国人？ | 大　小 | 是不人大中小 | 国澳洲英美加拿法日本哪 |
| 5 | 我上大华小学 | 廿　宀 | 上个也华 | 校年级 |
| 6 | 我爱我的家 | 口　言 | 谁的有爸妈和家 | 哥弟姐妹两爱这 |
| 7 | 你住在哪里？ | 衣　老　土 | 在哪里住老师 | 街路楼号长公园 |
| 8 | 今天是几月几日？ | 日　月 | 日月生今年 | 天祝快乐 |
| 9 | 今天是星期几？ | 马　金 | 明昨天星期吗 | 零 |

## 教学重点及目标：

◆　说明"星期一（weekday one, Monday）"跟"一星期（one week）"的区别

◆　说明"星期日"和"星期天"通用

◆　熟悉"今天、这星期、这个月、今年、昨天、上星期、上个月、去年"以及"明天、下星期、下个月、明年"的用法

◆　说明"星期"的读音有所不同，中国大陆地区读"xīng qī"，有些华人社区读"xīng qí"

## 文化部分：

◆　"星期"也可用"礼拜"或"周"，如："星期一"、"礼拜一"或"周一"

## 建议活动：

〈注〉请参照"教具使用说明"中有关宾果及字卡游戏。

◆　日期
〈规则〉开始上课时，即问："今天是几月几号？星期几？"学生作答。

♦ 课文数来宝

〈游戏目的〉复习前课课文，请参考前课介绍的动作。

〈数来宝〉

一二三，三二一，一二三四五六七，七六五四三二一。（齐诵）

一（拖长音）个星期有七天，星（拖长音）期一到星期日，

一（拖长音）二三四五六日，大（拖长音）家都爱星期日。

♦ 童谣带动唱："猴子做什么？"

〈歌词〉

星期一猴子穿新衣，星期二猴子看儿子，星期三猴子去爬山，

星期四猴子看电视，星期五猴子去跳舞，星期六猴子四处遛，

星期天猴子去聊天。

〈动作〉两人一组面对面，按照下列顺序拍手或对拍：

星期一（双手拍双腿两下）猴子穿新（双手自拍两下）衣（两人对拍两下），以下类推。需注意类似音，如："三"及"山"、"四"及"视"等。教师问："今天星期一，猴子做什么？"抽问学生回答。下课时亦可用此当口令在门口把关，学生答对才能回家。

♦ 星期接龙

〈规则〉教师说："今天星期三"，学生需回答正确句子："'昨天'星期'二'，'明天'星期'四'"，可请学生轮流问。

♦ 多格万用表

〈规则〉教师使用多格万用表（如下图）先填入日期，故意漏填几日，然后问学生问题，如："今天 26 号，请问是星期几？""昨天星期几？""明天星期几？""星期六是哪几天？"。

| 一 | 二 |  |  |  | 六 |  |
|---|---|---|---|---|---|---|
|  |  | 1 | 2 | 3 | 4 | 5 |
| 6 | 7 | 8 | 9 | 10 | 11 | 12 |
| 13 | 14 | 15 | 16 | 17 | 18 | 19 |
| 20 | 21 | 22 | 23 |  |  |  |
| 27 | 28 | 29 | 30 | 31 |  |  |

♦ 儿歌：

〈动作〉两手比出球状，两手分别比出"六"的手势为香蕉状，然后将两手的大及小指对点，成圆形的梨状。说到"满地开花"时，两手伸向前划出。二十一以及以后的数字均以拍

手念出。待学生熟悉后，可任指一人接念。

小皮球，香蕉梨，满地开花二十一，

二五六，二五七，二八二九三十一，

三五六，三五七，三八三九四十一，

四五六，四五七，四八四九五十一，（重复数字）

……，……，……

# 第十课　书包里有什么？

## 习写及认读字总览：

| 课 | 课　题 | 部首习写 (19) | 习　写　字 (58) | 认　读　字 (69) |
|---|---|---|---|---|
| 1 | 你好 | 人　目 | 你好见 | 再同学们老师吗我很谢 |
| 2 | 你叫什么名字？ | 女　戈 | 我她他名字 | 叫什么王小文李大中白卫玛丽 |
| 3 | 你几岁？ | | 一二三四五六七八九十 | 几岁呢 |
| 4 | 你是哪国人？ | 大　小 | 是不人大中小 | 国澳洲英美加拿法日本哪 |
| 5 | 我上大华小学 | 卄　宀 | 上个也华 | 校年级 |
| 6 | 我爱我的家 | 口　言 | 谁的有爸妈和家 | 哥弟姐妹两爱这 |
| 7 | 你住在哪里？ | 衣　老　土 | 在哪里住老师 | 街路楼号长公园 |
| 8 | 今天是几月几日？ | 日　月 | 日月生今年 | 天祝快乐 |
| 9 | 今天是星期几？ | 马　金 | 明昨天星期吗 | 零 |
| 10 | 书包里有什么？ | 木　辵（辶） | 这那书包白本 | 子铅笔橡皮教室桌椅板 |

## 教学重点及目标：

◆　复习并说明"所有格"的用法，如："谁的"、"你的"、"王老师的"用法
◆　说明"里"的不同用法，如："这里、那里"及"教室里、书包里（inside）"的区别

## 文化部分：

◆　中文的名词均有量词，如：一个人、一个老师、一个书包、一本书等。

## 建议活动：

〈注〉请参照"教具使用说明"中有关宾果及字卡游戏，并可使用挂图 MFCR-1。
◆　课文数来宝
〈游戏目的〉复习前课课文，请参考前课介绍的动作。
〈数来宝〉
一二三，三二一，一二三四五六七，七六五四三二一。（齐诵）
我（拖长音）有一个大书包，天（拖长音）天背它去上学。

书（拖长音）包里面有什么？我（拖长音）有铅笔和橡皮。

♦ 书包里有什么？

〈规则〉请学生介绍书包中的物品，使用句型："我的书包里有_____和_____。请问**（学生名字），你的书包里有什么？"被点到名的学生需回答："我书包里有_____（前个学生没有提过的物品），也有____和_____。请问***（另一个学生名字）你的书包里有什么？"

♦ 抢位子

〈规则〉学生围坐地上，每人取一个文具名，并大声介绍："我是_____。"可以好几个人取同样的物品名称。教师喊："我是老师，我背书包去上学，我的书包里有_____，_____…"被叫到的物品的学生需跟在教师后面绕圈子走，当教师说："我不用书包了！"大家抢位子，没有位子的人出来接替老师的位子，继续说："我是_____，我背书包去上学，我的书包里有____，____…"

# 第十一课　我喜欢吃水果

## 习写及认读字总览：

| 课 | 课　题 | 部首习写 (21) | 习 写 字 (65) | 认 读 字 (80) |
|---|---|---|---|---|
| 1 | 你好 | 人　目 | 你好见 | 再同学们老师吗我很谢 |
| 2 | 你叫什么名字？ | 女　戈 | 我她他名字 | 叫什么王小文李大中白卫玛丽 |
| 3 | 你几岁？ | | 一二三四五六七八九十 | 几岁呢 |
| 4 | 你是哪国人？ | 大　小 | 是不人大中小 | 国澳洲英美加拿法日本哪 |
| 5 | 我上大华小学 | 艹　宀 | 上个也华 | 校年级 |
| 6 | 我爱我的家 | 口　言 | 谁的有爸妈和家 | 哥弟姐妹两爱这 |
| 7 | 你住在哪里？ | 衣　老　土 | 在哪里住老师 | 街路楼号长公园 |
| 8 | 今天是几月几日？ | 日　月 | 日月生今年 | 天祝快乐 |
| 9 | 今天是星期几？ | 马　金 | 明昨天星期吗 | 零 |
| 10 | 书包里有什么？ | 木　辵（辶） | 这那书包白本 | 子铅笔橡皮教室桌椅板 |
| 11 | 我喜欢吃水果 | 氵　火 | 吃水果很多喜欢 | 西瓜葡萄橘苹梨香蕉草莓 |

## 教学重点及目标：

◆　熟悉否定句用法：喜欢／不喜欢、吃／不吃、是／不是、好／不好
◆　熟悉"很"的用法，如："很多、很好、很快、很多人"及"很喜欢"

## 文化部分：

◆　中文可使用双动词表情境，而无须加不定词。如：我喜欢吃。

## 建议活动：

〈注〉请参照"教具使用说明"中有关宾果及字卡游戏，并可使用挂图 MFCR-2。
◆　课文数来宝
〈游戏目的〉复习前课课文，请参考前课介绍的动作。
〈数来宝〉
一二三，三二一，一二三四五六七，七六五四三二一。（齐诵）

请问今天（或昨天 ／ 明天）星期几？（齐诵）
＿＿ 号，＿＿ 号，今天星期 ＿＿ 。（齐诵）

一二三，三二一，一二三四五六七，七六五四三二一。（齐诵）
请问你爱吃什么？（任指一学生作答）
＿＿，＿＿，我爱吃 ＿＿ ，（任选一食品）
我的 ＿＿ 很好吃。

♦　　大风吹
〈规则〉学生围坐地上，每人取一水果名，大家问："请问你爱吃什么？"教师说："我爱吃 ＿＿ 。"取名该水果名的学生要互换位置，教师趁机抢位子，没有位子的人出来站在中间，大家继续问："请问你爱吃什么？"学生可以说其中的一种，也可以说："我什么都爱。"这时，所有的人都要互换位置。

♦　　比手划脚
〈规则〉学生分两组，教师出示水果"字卡"（非图卡）给其中一组的组长看，组长看后需用手比划出该水果形状及吃的动作（如香蕉需剥皮、橘子剥皮后要一瓣瓣吃等）让对方猜，两组轮流猜，限时竞赛。

# 第十二课　你想吃什么？

## 习写及认读字总览：

| 课 | 课题 | 部首习写 (23) | 习写字 (71) | 认读字 (93) |
|---|---|---|---|---|
| 1 | 你好 | 人 目 | 你好见 | 再同学们老师吗我很谢 |
| 2 | 你叫什么名字？ | 女 戈 | 我她他名字 | 叫什么王小文李大中白卫玛丽 |
| 3 | 你几岁？ | | 一二三四五六七八九十 | 几岁呢 |
| 4 | 你是哪国人？ | 大 小 | 是不人大中小 | 国澳洲英美加拿法日本哪 |
| 5 | 我上大华小学 | 艹 宀 | 上个也华 | 校年级 |
| 6 | 我爱我的家 | 口 言 | 谁的有爸妈和家 | 哥弟姐妹两爱这 |
| 7 | 你住在哪里？ | 衣 老 土 | 在哪里住老师 | 街路楼号长公园 |
| 8 | 今天是几月几日？ | 日 月 | 日月生今年 | 天祝快乐 |
| 9 | 今天是星期几？ | 马 金 | 明昨天星期吗 | 零 |
| 10 | 书包里有什么？ | 木 辶（辶） | 这那书包白本 | 子铅笔橡皮教室桌椅板 |
| 11 | 我喜欢吃水果 | 氵 火 | 吃水果很多喜欢 | 西瓜葡萄橘苹梨香蕉草莓 |
| 12 | 你想吃什么？ | 心 食 | 想什么饿喝了 | 汉堡薯条可治汁冰淇淋饭饺渴 |

## 教学重点及目标：

◆　熟悉"是非问"及如何回答：如：想不想？喜（欢）不喜欢？吃不吃？是不是？好不好？饿不饿？渴不渴？爱不爱？在不在？多不多？有没（非"不"）有？

## 文化部分：

◆　"中国饭（中餐）"是指中式食物，lunch 是指"中饭"或"午饭"。中国菜泛指中餐，包括米食和面食。

## 建议活动：

〈注〉请参照"教具使用说明"中有关宾果及字卡游戏，并可使用挂图 MFCR-3。

◆　课文数来宝
〈游戏目的〉复习前课课文，请参考前课介绍的动作。

〈数来宝〉

一二三，三二一，一二三四五六七，七六五四三二一。（齐诵）

请问你想吃（或喝）什么？（任指学生作答，需回答合适的食品或饮料）

____，____，我想吃（或喝）____，

我的 ____ 很好吃（或喝）。

一二三，三二一，一二三四五六七，七六五四三二一。（齐诵）

你渴吗？你饿吗？（动作："渴"用手做"杯"状往口中倒，"饿"用手按腹部）

喝什么？吃什么？（动作："喝"用手做"杯"状往口中倒，"吃"食指中指做筷子状）

喝 ____，吃 ____，（指定学生作答）

好喝，好喝，真好喝。（齐诵、做动作）

好吃，好吃，真好吃。（齐诵、做动作）

◆　食物的说法

〈规则〉先让学生熟读下列句型，当教师高举某种食品或饮料图片或字卡时，被指定的学生需用句型接答，如：看见____(名称)，一__ __（量词），答对后，大家再齐诵最后两句之一。

〈句型〉

星期天，去吃饭，（齐诵）

看见水饺，一个个；

看见包子，一个个；

看见薯条，一包包；

看见可乐，一罐罐；

看见果汁，一杯杯；

看见苹果，一个个；

看见西瓜，一片片；

请问你想吃什么？（齐诵，视该生回答的食品或饮料而定）

请问你想喝什么？（齐诵，视该生回答的食品或饮料而定）

◆　我要点菜

〈规则〉学生围成圆圈，每人发一张食物字卡，可以重复。

教师扮成妈妈（或爸爸），说："我饿了，想吃…"小朋友问："吃什么？"当教师说"我想吃汉堡"时，拿汉堡字卡的学生全部都要尾随教师继续绕圈。教师可以换句型，如："我渴了，我想喝____。" "我还是很饿，我想吃____。"当教师喊："我不想吃了！"时，所有学生需归位，和老师一起抢位子，抢不到位子的学生要出来当妈妈（或爸爸）。

◆　童谣带动唱："看来容易做来难"

〈规则〉

"包子这么大"：两手握拳，掌心相对，形如包子，每念一字就上下摇动。

"饺子这么长"：两拳朝下并排，收拇指，状如水饺，每念一字就上下摇动。

"大饼这么圆"：双手并拢，手心朝下，收拇指，像圆形大饼，每念一字就上下摇动。

"看来容易"：左手握拳手心朝下，收右手拇指，其它四指指尖指向左手拳窝。
"做来难"：右手握拳手心朝下，收左手拇指，其它四指指尖指向左手拳窝。
"看来容易"：重复前面动作
"做来难"：重复前面动作

待熟悉后，可逐渐加快速度，看谁的动作能配合上。

♦　童谣带动唱："好孩子"

〈规则〉

甲乙两人面对面，一起念，甲伸出右手，掌心朝上；乙握住甲手背，随着歌词作动作：

炒萝卜，炒萝卜（乙的右手在甲的掌心来回抹三下），切一切　（乙的右手在甲的手臂由下往上轻切三下）；

包饺子，包饺子（乙用右手将甲的右掌四指往内弯），捏一捏（乙的右手在甲的手臂由下往上轻捏三下）；

好孩子，好孩子（乙的右手在甲的掌心来回抹三下），摸一摸（乙的右手在甲的脸颊轻摸三下）；

坏孩子，坏孩子（乙的右手在甲的掌心来回抹三下），打三下（乙的右手在甲的掌心轻打三下）。

♦　我们是好朋友

〈规则〉请学生站成一排，教师将手中不同字卡（可用废纸背后书写大字，以信纸大小为佳）用晒衣夹或 Masking Tape 贴在学生背后或夹在衣领上，全部贴完后，教师喊"开始找朋友"，学生需看完每个同学背后的字以后，来决定跟哪一个（或两个）同学站在一起，配成词，当所有学生都组成队后，每一队需大声说："我们是好朋友，我们是＿＿＿。"所有学过的词语（双字词或三字词均可），如：你好吗？中国饭、喜欢、想不想等，均可采用。此游戏亦可改玩法，需找同类别的站在一起，教师待大家都找到"另一半"后，拿出上面写好字样的纸张，分别贴在不同角落，要学生跑过去，如"书包里有…""Restaurant 里有…""学校里有…"等，来让学生熟悉认读字，配成词、并熟悉词性及句型。

♦　比手划脚猜一猜

〈规则〉准备数张已学过的字卡或图片，可选食物或人物。例如：香蕉、汉堡或爸爸、妹妹等均可，用两组竞赛限时方式，由组长抽牌表演动作让组员猜，允许组员发问，如：可以吃吗？是男生吗？是水果吗？组长只能以摇头或点头回答，不能开口。限定时间内猜不出的那组输。

# 附录一　教具使用说明

## 1）课文挂图：

"快乐儿童华语"第一册附"情境挂图"7 张，便于教师在课堂使用，增加教学效果。挂图可使用可擦拭的彩色笔书写。

### 建议活动：

1. 简单问答：教师出题，要学生回答

2. "惊鸿一瞥"：让学生看一分钟后，将挂图拿下，让学生分别讲出挂图中有哪些事物

3. 看图说话：学生以挂图中的事物讲句子或编故事

4. 猜猜想什么：学生分甲乙两组，甲组派代表先自挂图选定某一图像，乙组最多可提出 5 个问题来猜谜底，甲组只能回答"是"或"不是"，看哪一组先猜对

5. 请学生找出与挂图相关的字卡排在桌面上

### 挂图目录：

| 编号 | 主题 | 课程 |
|---|---|---|
| MFCR-1 | 各种文具用品 | 10 |
| MFCR-2 | 水果的识别 | 11 |
| MFCR-3 | 中西餐饮名称 | 12 |
| MFCR-4 | 数字、颜色、动物 | 3 |
| MFCR-6 | 国家及象征物 | 4 |
| MFCR-7 | 东西方家庭成员名称 | 6 |
| MFCR-20 | 场所、方向 | 7 |

## 2）万用字卡：

使用磁土（Magic Clay，可以到玩具店或文具店购买），可在空白卡上书写适用的生字词或汉语拼音。可用于各种教学活动。

## 3）多元列车：

火车头可视需要，加挂若干节"车厢"，作为拼音、数数、识字及字词归类用。

例：车头内填入"ao"，让学生将有"ao"音的单字填入各车厢内。

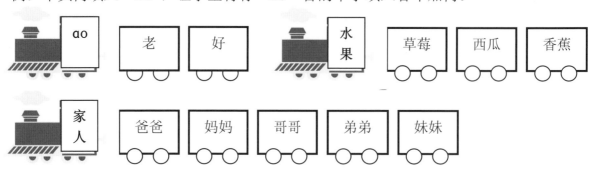

"车头"内亦可依照课文主题或习写字的词性等，填入"颜色（color）"、"名词（noun）"、"部首（如：木）"、"水果"、"超级市场"、"书包里"、"家人"等，让学生填入各相关字词。

## 4）字卡：

每本习作后均附有认读字卡表，每一字卡反面均有拼音、英文、部首等类别，由学生自行填写后撕下，按折线分割成15张字卡以供识字及玩字卡游戏。

**字卡游戏（适用于每一课）：**

**1. 听音找字**

〈规则〉老师念生字（如：学）或字词（如：老师）或出题（如：How to say good-bye? When you first meet some one, you will say …），学生找出正确的字卡来排在桌面。

**2. 翻卡认读**

〈规则〉教师将字卡散放桌面，学生轮流翻卡认读，读对的赢得该卡，读错的放回（可放回卡堆中搅乱，以免被别人识出该卡）。得到卡片最多的人获胜。

**3. 排字卡**

〈规则〉教师念句子，学生找出字卡排出来。如：你好吗？老师好吗？好老师。我们很好。老师很好。好同学。老同学。你们好。

**4. 传口令**

〈规则〉学生分组站立，每组最少4人，每人相隔一小段距离，最后一人站在桌前，桌上摆满字卡。教师将句型写在信纸大小的纸张上，每组轮流派代表到前面来看句型，看后小声将该句型（也就是口令）传给第二站，第二站传给第三站，第四站的学生需将字卡按句型排出。最先正确排出的那一队赢一分。学生需轮流担任各站人员。

### 5. 穷紧张

〈规则〉收集两三名学生的字卡混合起来（不要太多课），平均分给学生（每组不超过六人），将字卡面朝下叠成一摞放在各人面前。学生需轮流翻自己面前的字卡并大声念出上面的字，如字卡与桌面上其他人已翻开的字卡相同，两人需同时互叫对方的中文名字（或每人自取的水果名或颜色名称等），念错字或叫错名字或误看误叫者，需把对方已翻开的字卡全数收回，最先没字卡的人赢。

### 6. 字卡分类

〈规则〉请学生按字卡类型分类，分得快又能读出每个字的人获胜。类型建议：声调（如：发第一声的字卡放在一起）、部首（如：人）、字义（如：水果类、器官类等）、相反词、哪些可以吃，哪些可以放在书包里等等。

### 7. 抽卡配

〈规则〉收集两三名学生的字卡混合起来（不要太多课），平均分给学生，相同的字卡可取出放在一边。以顺时针方向，学生轮流抽下方的一张字卡，如抽得的字卡跟自己手上的字卡相同或可搭配成词，如："老"跟"师"、"上"跟"下"、"哪"跟"里"，并可大声读出，可取出放一边，最先没字卡的人获胜。

### 8. 钓鱼

〈规则〉收集四名学生的字卡混合起来，散放桌面，学生轮流翻两次卡，如翻出的两卡同字，又可将字卡上的字大声读出，可赢得此对字卡，并可继续翻卡。赢得最多字卡者获胜。读错者需放回字卡。

### 9. 连连看

〈规则〉收集四名学生的字卡混合起来，平均分给学生，每人将自己的卡排在桌面，并尝试将所有字卡上的字符串连起来，成为有意义的句子。如：拿到"你""师""名""好""大"等字的人可以组成"老'师'，'你好'，我的'名'字叫'大'卫。" 最快组成句又可正确念出的人获胜。

### 10. 字卡宾果

〈规则〉学生自选字卡按宾果形式摆在桌面，如图1-2：

教师将自己该课所有字卡放入空纸巾盒中，请学生轮流自盒中取出一卡，并大声读出。有此字卡的学生需将该字卡翻至背面，如翻过来的字卡或横，或竖，或对角线成为一排，即大叫"宾果"，但须将翻面的字卡逐一读出才算数，或更具挑战性的需用该字造词或造句，如："老师"的"老"或"他太老了！"的"老"。宾果可按学生程度或年龄，区分难度不同的"九字格"或"十六字格"格式，只要为矩阵即可，可以一课一课的玩，或复习式的两课或三课混合玩。当第一个学生拿到宾果后，学生可将桌面上所有字卡重新再组合(scramble)一次，继续玩下去。

| 学 | 老 | 一 |
|---|---|---|
| 他 | 你 | 名 |
| 字 | 我 | 九 |

图 1-2

## 5) 多格万用表：

教师可于格内书写拼音或文字或当成月历使用，让学生填入相关字。

**1. 拼音识字**：教师先将课文习写字的声符及韵符以不同颜色标出，让学生填入正确的对应字。如图1-3：

| b | p | m | f | |
|---|---|---|---|---|
| 爸 | | | | a |
| 笔 | | | | i |
| 不 | | | | u |
| | | | | |

图 1-3

**2. 句型延伸**：教师将课文中的字词或基本句型填入，让学生填入适当字词做句型扩展。教师亦可用英文或提问方式稍做提示，如："Say hello to a group"，或"How to say good-bye to your classmates?" 如图 1-4：

图 1-4

3. **部首归类**：教师可将部首写在中间，旁边以红粗线区隔，让学生将有"人"部首的 8 个字填入四周的方格内。如图 1-5：

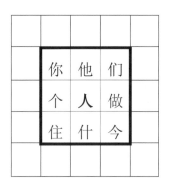

图 1-5

4. **认识数字及日期**：教师可请学生填入所缺的日数或利用此表提问,如：九号是星期几？星期日有哪几天？今天是几月几号星期几？如图 1-6：

| 一 | | 三 | | | 日 |
|---|---|---|---|---|---|
| | | 1 | 2 | 3 | 4 | 5 |
| 6 | | | 9 | 10 | 11 | 12 |
| 13 | 14 | 15 | | | |
| | | | | | |

图 1-6

**5. 字词变化**：如相反词、部件加减等。如图 1-7：

| 大 | ⟺ | 小 | |
|---|---|---|---|
| 口 | ＋ | 丩 | ＝ | 叫 |
| 大 | － | 一 | ＝ | 人 |
| 大 | ＋ | 一 | ＝ | 天 |
| | | | |

图 1-7

**6. 主题教学**（如图 1-8）：教师可以在表头加点创意或色彩，让此表成为：

a. 座位表

〈规则〉以教室实际座位为准，请学生在正确座位的格子里填上自己的名字。除了认字，认识同学，还可以学方向，如小文的左边是谁？后面是谁？

| 大卫 | 小文 | 玛丽 | | |
|---|---|---|---|---|
| | | | | |
| | | | | |
| | | | | |
| | | | | |

图 1-8

b．购物单

〈规则〉要学生写出要买的东西等（可用汉语拼音填入）。

## 6）儿歌带动唱：

"唱游"是一个最受低年级学童欢迎的语文教学方式，孩子们说说唱唱间配合着手势或肢体动作，轻松活泼气氛下，会有事半功倍的效果。

### 1. 发声歌

〈歌词〉肚　泪　眉　发　手　拉　膝

〈规则〉教师先示范唱 do、re、mi、fa… 再配合动作，如："肚"就双手按肚子，"泪"就用双手食指在脸上做出流泪的样子，"眉"是以双手食指画眉毛，"发"用双手按头发，唱"手"时则伸出双手，"拉"是两手互拉，"膝"是用双手拍膝盖，待学生熟悉后再以儿歌配动作。如：可用"小蜜蜂"的调子唱 so mi mi fa re re do re mi fa so so so 然后配合动作…手先互拉、再画眉…

### 2. 按摩歌

〈歌词〉一起压压，一起一起压，不要压压不要不要压（熟悉肯定否定句型）。

〈规则〉以"依比亚亚"的调子唱"我要压压，我要我要压，我要压压，我要我要压，我要压压，我要我要压压，我要我要压压，我要我要压"可将"我要"换成"不要"。老师可举"要"或"不要"字牌，让学生找对象边做动作边唱，待熟悉后，可换指令为"捏"、"拍"、"打"、"搔"等。

### 3. 体操歌

〈歌词〉头儿肩膀膝脚趾，膝脚趾，膝脚趾；头儿肩膀膝脚趾，眼耳鼻和口。

〈规则〉用"伦敦铁塔倒下来"的调子唱，边唱边配合动作。为了让学生熟悉曲调及所指的部位，可以先放慢速度，然后再逐渐加快。

### 4. 方向歌

〈歌词〉小明小明小小明，上上下下左左右右，前前后后，转个大圈，来猜拳。

〈规则〉两人面对面，念"小"时是自己拍手，念"明"时就两人对拍，再按歌词内容双手向上自拍（或向下、左、右、前、后拍）后，自转一圈再猜拳（即剪刀石头布）。要注意的是，两人因为面对面，所以念"左右"时，方向正好相反。

### 5. 星期歌

〈歌词〉星期一猴子穿新衣，星期二猴子看儿子，星期三猴子去爬山，星期四猴子看电视，

星期五猴子去跳舞，星期六猴子四处遛，星期天猴子去聊天。

〈规则〉两人一组面对面，按照下列顺序拍手或对拍：

星期一（双手拍双腿两下）猴子穿新（双手自拍两下）衣（两人对拍两下），以下类推。需注意类似音，如："三"及"山"、"四"及"视"等。教师问："今天星期一，猴子做什么？"抽问学生回答。下课时亦可用此当口令在门口把关，学生答对才能回家。

### 6. 猜拳歌

〈歌词〉我家的我家的我家，嘿！我家的公鸡，我家，嘿！

我家的母鸡，我家的母鸡，嘿！我家的小鸡，我家的小鸡，嘿！

〈规则〉两人一组，一起念第一句并猜拳，赢的一方是"公鸡"，要马上念第二句并用双手做"∧"形置头顶，输的一方是"小鸡"，要同时念第三句并以双手平放嘴前做开合状；如果双方出同样的手形，如：同为"剪刀"或"石头"或"布"时，则双方须同时念"母鸡"那一句，并曲双臂鼓动之。这首儿歌可训练学生的反应。"公鸡"、"母鸡"、"小鸡"可换成其它名词配上相关动作，如"父亲"（以手指在脸上划胡子）、"母亲"（以双臂做摇篮摇）、"孩子"（以双手食指指脸颊）或水果名（以形状表示，如：香蕉是长形、苹果是小圆形、西瓜是大圆圈等）。

### 7. 拍手歌

〈歌词〉你拍一，我拍一，一个娃娃坐飞机；你拍二，我拍二，两个娃娃开汽车；

你拍三，我拍三，三个娃娃去爬山；你拍四，我拍四，四个娃娃找狮子；

你拍五，我拍五，五个娃娃敲锣鼓；你拍六，我拍六，六个娃娃来拍球；

你拍七，我拍七，七个娃娃学打气；你拍八，我拍八，八个娃娃吹喇叭；

你拍九，我拍九，九个娃娃是朋友；你拍十，我拍十，十个娃娃当老师。

〈规则〉学生两人面对面先自拍，再右手对拍，再自拍，再左手对拍，如：你拍一（自拍，再右手对拍）我拍一（自拍，再左手对拍），一个娃娃（用右手比出"一"的手势）坐飞机，以下类推。

# 附录二　节庆手工教学

## 1）春节手工：

〈名称〉年年有鱼（余）

〈作法〉将红包封口粘死，依照下列图样在红包背面画出鱼的形状，剪下鱼形，虚线部分的两角对插，用订书机订牢，将眼睛（工艺店有售）贴上即可。如下图 1-9：

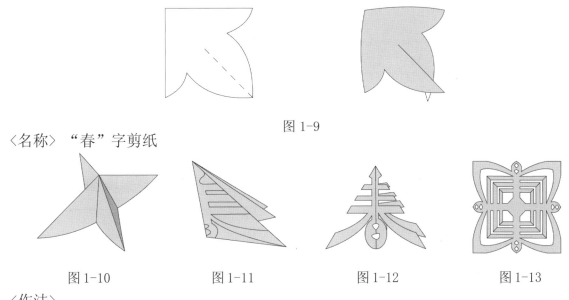

图 1-9

〈名称〉"春"字剪纸

图 1-10　　　　　图 1-11　　　　　图 1-12　　　　　图 1-13

〈作法〉

1）将四方形色纸对角对折如（图 1-10）

2）在纸上画上字形如（图 1-11）

3）再按字样剪下即成（图 1-12）、（图 1-13）

可借助"春"字剪纸教导学生：

"春"是象形字，由"三"、"人"及"日"所构成；"三"代表多数，当很多人都看到太阳出来时，那就是春天到了。

用 3D 的方式剪这个"春"，是别具意义，因为"四"面看来，无论从何角度，都是"春"；北国严冬漫漫，当然希望"四"季如"春"。

"春"字剪好后，可以摊平粘在玻璃窗上，就成了好看的窗花。剪出几个大小颜色不一的"春"字后，用丝线串连起来，挂在车内后视镜或门楣上，就是一串迎风摇曳的春意。

## 2）元宵节手工：

〈名称〉小灯笼（图 1-14）

〈作法〉将信纸大小的纸张发给学生，让学生用尺画出如下图，可加图案或吉祥话，如："恭喜"等。

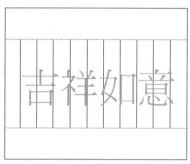

图 1-14

〈名称〉花灯笼

〈作法〉将下列饼图样发给学生，让学生剪出 11 个圆形，除了一个做底的圆形不剪外，其余 10 个圆形的虚线部分需对折，实线部分需剪开。将 10 个圆形依序插入中间的圆形底座即成。如图 1-15：

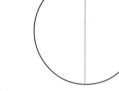
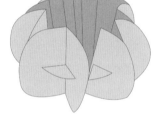

图 1-15

## 3）端午节手工：

〈名称〉端午粽子（图 1-16）

〈作法〉以长方形纸条折成三角形对折再反向对折，另以不同颜色的色纸剪成细长条围绕粽角，再用针把粗线穿过粽子。

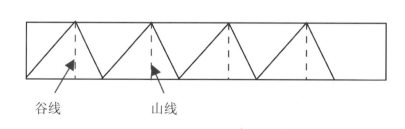

谷线　　　　山线

图 1-16